Une grand-mère d'occasion

Castor Poche
Collection animée par
François Faucher, Hélène Wadowski,
Martine Lang, Cécile Fourquier et Céline Vial

Une production de l'Atelier du Père Castor

CHRISTINE ARBOGAST

UNE GRAND-MÈRE D'OCCASION

Illustrations de
ÉRIKA HARISPÉ

Castor Poche Flammarion

Christine Arbogast

L'auteur est née en 1949. « J'ai appris à lire à l'âge de cinq ans, et, depuis, je "dévore" tous les livres qui me tombent sous la main. Psychologue auprès d'enfants et d'adolescents, j'ai abandonné ma profession à la naissance de mon troisième enfant et ne l'ai pas reprise après celle de mon quatrième !

« Je vis depuis quelques années dans une très agréable petite ville du Sud-Aveyron, au cœur de paysages splendides et sauvages que j'aime parcourir à pied.

« J'ai toujours lu des histoires à mes deux filles et à mes deux fils ; puis j'en ai inventé pour eux ; enfin, je me suis mise à les écrire... (J'ai même tenté de les illustrer, mais cela me paraît infiniment plus difficile !) Chacune de mes histoires a un point de départ dans ma vie quotidienne. »

Du même auteur, en Castor Poche :
Merci Barnabé, n°278.

Érika Harispé

L'illustratrice de l'intérieur est née en Égypte. « J'ai passé les trois premières années de mon enfance dans une oasis - Ismaïlia - au milieu des sables chauds. Puis je suis venue en France et me suis installée à Nice. Avec mes amis, nous faisions les caricatures des habitants du quartier. Plus tard, au lycée, je dessinais pendant les cours.

« Aujourd'hui, j'habite avec ma fille, Gaëlle, pas très loin de Paris, dans une petite maison. Je dessine toujours devant ma fenêtre et j'ai la chance d'observer une trentaine d'oiseaux d'espèces différentes. »

Régis Faller

L'illustrateur de la couverture aime le couscous et la ratatouille, les musiques bizarres, la ville, et sa fifille, et il n'aime pas les voitures, les réunions, le travail et les salsifis.

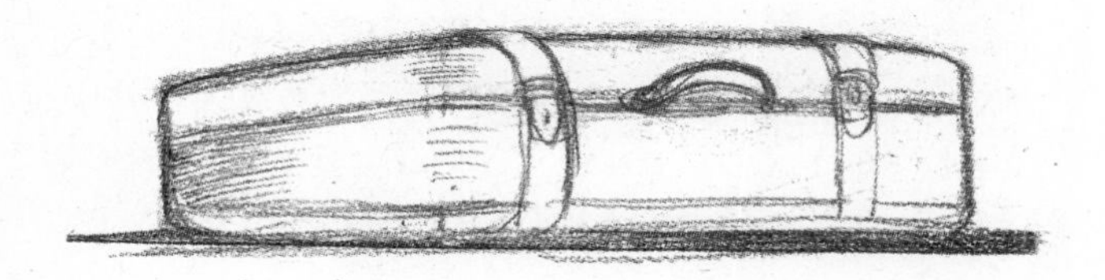

Chapitre 1

Nicolas Martin ne semblait pas pressé de rentrer chez lui après l'école, ce soir-là.
– Tu me raccompagnes ? demanda Jérôme.

Les deux garçons prirent le temps de savourer un copieux goûter avant de s'attaquer à leurs devoirs. Jérôme inventa ensuite un jeu passionnant, il était un bandit, Nicolas un shérif…

Longtemps après, la mère de Jérôme sortit sur le perron, interrompant leurs cris et leurs galopades.

– Jérôme ! nous allons dîner ! Nicolas, il faut vite rentrer chez toi !

Elle vit le garçon perdre d'un coup tout son entrain. L'aidant à hisser son cartable sur ses épaules, elle fit gentiment :

– Tu diras bonjour pour moi à ta maman… Rien de neuf, pour ton père ?

Non, rien de neuf ! Toujours au chômage, depuis bientôt un an… L'inquiétude grandissait chez les Martin, et les soucis pesaient si lourd que Nicolas s'arrangeait désormais pour revenir le plus tard possible à la maison.

La lumière devint grise et les réverbères s'allumèrent, faisant d'un coup paraître la nuit toute proche. Nicolas se sentit légèrement inquiet. Il avait peut-être un peu exagéré, cette fois…

Sourcils froncés, il descendit la rue

qui le menait, deux croisements plus loin, juste devant chez lui. Il n'arrivait pas à se rappeler si sa mère travaillait ou non, ce soir. Elle était infirmière à l'hôpital, et ses horaires étaient si variables que Nicolas s'y perdait toujours. Si son père était seul, il allait être d'une humeur massacrante…

En poussant le portillon du jardin, Nicolas vit la voiture de sa mère dans l'allée. Soulagé, il respira mieux. Même s'il se faisait gronder pour son retard, la soirée se passerait malgré tout assez sereinement.

Il ouvrit doucement la porte de la maison et se faufila dans l'entrée, étonné de ne percevoir aucun bruit, aucun mouvement dans la cuisine, aucune odeur de repas… Ses parents étaient-ils sortis ?

Un éclat de voix derrière la porte du salon le fit sursauter. Ils étaient là, mais ne l'avaient pas entendu rentrer. Il s'avança sur la pointe des pieds jusqu'à l'escalier. S'il montait sans bruit, posait son cartable dans sa chambre et se plongeait dans un livre, l'heure de son retour pourrait rester imprécise...

La porte du salon s'ouvrit et Mme Martin apparut.

– Nicolas ! dit-elle. Viens par ici, nous t'attendions !

L'enfant ne put déterminer si le ton était sévère. Il lui sembla pourtant que sa mère souriait légèrement.

– J'étais chez Jérôme..., hésita-t-il, penaud.

– Je m'en doute bien ! fit Mme Martin, comme si cela n'avait aucune importance.

Un peu étonné, son fils la suivit dans le salon. M. Martin était assis dans son fauteuil à bascule ; il avait cet air sombre qui lui était devenu habituel depuis quelques mois.

– Assieds-toi, Nicolas, dit-il. Il toussota, regarda sa femme, puis ajouta :

– Nous avons à te parler.

Nicolas s'assit, de plus en plus surpris. Quel ton solennel ! Il leva ses yeux clairs vers ses parents, mais ils se taisaient tous les deux. Il gigota un peu sur le divan, agita ses jambes.

– Nous avons quelque chose à te dire, renchérit sa mère, d'une voix mal assurée.

L'enfant sentit son cœur battre plus vite. Serait-ce... ? Auraient-ils... ? Un petit frère ! Oui, sûrement, enfin ! Depuis le temps que Nicolas l'espérait, en vain ! Il eut un sourire radieux, juste au moment où son père reprenait la parole :

– Tu comprends, petit, notre situation est grave... Cela fait un an bientôt que l'usine a fermé, je ne retrouve pas de travail… Ta mère a le sien, heureusement, mais ça ne suffit pas pour payer la maison et tout le reste…

Le sourire de Nicolas s'effaça petit à petit. Il s'était trompé… il n'était nullement question d'un bébé… Horriblement déçu, il avait du mal à suivre ce que disait son père :

– Il nous a fallu chercher une solution, pour ne pas avoir à vendre la maison et partir d'ici. Alors voilà… nous allons accueillir une personne âgée chez nous.

– Une personne âgée ? répéta Nicolas, de son air le plus stupide.

– Une grand-mère, précisa doucement Mme Martin.

– Grand-mère Léonie ? s'exclama le petit.

Sa voix était horrifiée. Grand-mère Léonie, la mère de son père, était d'une extrême sévérité. Heu-

reusement, elle habitait à l'autre bout de la France. Mais si elle venait vivre avec eux...

– Mais non, idiot ! s'énerva M. Martin. Une autre grand-mère !

– Laquelle, alors ?

Nicolas n'y comprenait plus rien ! Il n'avait pas connu ses grands-parents maternels, morts avant sa naissance, et se demandait d'où ses parents pouvaient bien sortir soudain une autre aïeule.

Mme Martin posa sa main sur l'épaule de son mari.

– Laisse-moi lui expliquer...

Elle parla lentement :

– Tu sais qu'à l'hôpital il y a quelques personnes âgées, arrivées là à l'occasion d'une maladie, et que l'on garde même une fois guéries, parce qu'elles ne peuvent plus, pour diverses raisons, retourner vivre seules chez elles. Nous allons donc accueillir chez nous une de ces… grands-mères, lui assurer une vie de famille plus agréable que celle de l'hôpital. En échange, on nous donnera une certaine somme chaque mois…

Nicolas était ébahi. Quelle idée bizarre !

– Tu changes de travail, alors ? Tu resteras à la maison pour t'occuper d'elle ? interrogea-t-il, tourné vers sa mère.

– Ciel, non ! Nous avons grand besoin de mon salaire *et* de cette pension ! Nous nous occuperons tous les trois d'elle, moi quand je ne travaillerai pas, Papa et toi le reste du temps… exactement comme si elle faisait partie de notre famille ! Si grand-mère Léonie venait habiter ici, je n'abandonnerais pas mon travail pour autant !

Nicolas fit une pauvre grimace. Ce ne serait pas grand-mère Léonie, heureusement, mais enfin... Il n'était pas enthousiasmé par cette perspective.

– Et d'abord, où on va la mettre ?

Avaient-ils pensé à cela, ses parents ? La maison n'était pas si grande ! Il y avait sa chambre, celle de ses parents, le salon et la salle à manger, la cuisine, la salle de jeux...

– Nous allons transformer la salle de jeux en chambre indépendante, il suffira d'y installer un coin-lavabo...

La salle de jeux ! Mais c'était impossible !

– Mais... et moi ?

– Oh ! ne sois donc pas si égoïste ! s'emporta M. Martin. Tu joueras dans ta chambre, comme tous les enfants ! Tu en connais beaucoup qui disposent d'une salle de jeux ?

Nicolas sentit les larmes lui monter aux yeux. C'était *sa* salle de jeux, sa pièce à lui, son domaine... Ses parents n'avaient pas le droit de décider comme ça, un beau jour, de la lui supprimer !

Mme Martin caressa doucement les cheveux blonds de son fils.

– C'est difficile pour tout le monde, mon lapin. Tu es assez grand pour comprendre ça et nous aider ?

Le cœur gros, le garçon hocha la tête. Cet arrangement ne serait peut-être que provisoire. Son père finirait un jour par retrouver du travail, la « grand-mère » s'en irait alors, et Nicolas récupérerait sa salle de jeux…

Chapitre 2

– C'est chouette, une grand-mère ! s'enthousiasma Jérôme. J'aimerais bien, moi, que la mienne vienne habiter chez nous !

– Oui, mais la tienne... elle est spécialement gentille !

Nicolas la connaissait bien. A quelques occasions, il avait accompagné son ami à l'autre bout de la ville, où la vieille dame vivait seule. Elle était douce, tranquille, souriante. Elle tricotait de merveilleux pulls à son petit-fils, confectionnait

de délicieux gâteaux et d'exquises confiseries...
– Elles ne sont pas toutes comme ça. La mienne...

Dans la cour de l'école, la discussion allait bon train. Chacun avait son mot à dire, son opinion à donner.
– Ça dépend si c'est une vieille-vieille-vieille, remarqua Mélissa, ou si c'est seulement une un-peu-vieille.
– Je ne sais pas, avoua Nicolas.
– Moi, j'en ai une très gentille ! s'exclama Bernard. Elle me raconte des histoires de quand elle était petite !
– La mienne aussi ! La mienne aussi !
– Moi, j'en ai une... dit Laetitia, elle est drôlement méchante. Elle mange tout le temps des chocolats sans en offrir à personne. Et elle nous trouve toujours très mal élevés.

Nicolas soupira. Gentille, pas gentille... Ce serait une question de chance. En attendant, il lui faudrait vider la salle de jeux (« faire un sérieux tri dans tout ce fourbi », avait dit sa mère). Et aider son père à aménager la pièce. D'ici trois semaines, la grand-mère serait là.

Jérôme tenta de réconforter son ami :

– Si elle est trop épouvantable, tu n'auras qu'à être très, très méchant ! Elle en aura vite assez et préférera s'en aller !

– Oui, par exemple, tu lui mettras des mouches dans son café... ou des vers de terre dans son lit ! suggéra Mariette, qui faisait toujours preuve de beaucoup d'imagination.

Nicolas ne put s'empêcher de rire, malgré le poids qui l'oppressait.

– Je ne pourrai jamais !... Et puis mes parents ont besoin de sa pension, alors...

Le soir de l'arrivée de Mme Ushuari (quel drôle de nom !), Nicolas, obéissant aux consignes maternelles, rentra sans traîner de l'école, malgré son envie de choisir le chemin le plus long et de s'attarder chez Jérôme.

Il grommela un vague bonsoir en direction de son père qui lisait le journal dans le salon et monta dans sa chambre. Sa mère avait disposé des vêtements propres sur son lit.

L'enfant se passa rapidement un peu d'eau sur la figure et les mains, et tenta de discipliner ses cheveux ébouriffés. Il se changea, fit ses devoirs...

Son cartable refermé, il considéra sans entrain les cartons de jouets qui encombraient sa chambre depuis peu. La pièce était si petite qu'il ne pouvait même pas monter le circuit de son train électrique.

Désœuvré, il redescendit.

M. Martin lisait toujours son journal. Nicolas traversa l'entrée et alla jeter un coup d'œil nostalgique à l'ancienne salle de jeux. Repeinte et retapissée de frais, la pièce était claire et accueillante, avec son coin-lavabo isolé par un paravent de bois blond.

Pour la centième fois peut-être, le garçon s'interrogea : à quoi allait ressembler la grand-mère ? Depuis l'annonce de sa venue, il avait examiné avec attention toutes les personnes âgées qu'il croisait dans la rue, s'étonnant qu'il y en eût tant – son regard les traversait auparavant sans même les voir. Sa curiosité ne lui avait guère apporté de réconfort. Qu'elles étaient laides, la plupart de ces vieilles ! Ridées, tordues, leur pauvre chevelure cachant mal leur crâne presque nu... Nicolas les voyait marcher avec difficulté, à tout petits pas ; certaines devaient s'appuyer sur des cannes tremblantes. Quelques-unes étaient obèses, d'autres si maigres qu'on pouvait craindre de voir leurs os se briser d'un coup... Et tous ces vêtements sombres, et cet air frileux !

Nicolas se sentit presque malade d'angoisse. Son cœur battait vite, il avait chaud et froid en même temps, quelque chose lui mordait le ventre... Il finit par aller s'asseoir au salon. Au bout d'un moment, M. Martin sembla prendre conscience de sa présence.
– Eh bien, mon garçon, dit-il en abaissant d'un coup son journal, va donc jouer !
– Je ne sais pas quoi faire, marmonna l'enfant en fixant le bout de ses chaussures.
– Qu'est-ce qui ne va pas ? demanda son père avec un soupir fatigué.

– Papa… Est-ce que la grand-mère… celle qui va venir… tu crois…
– Quoi donc ? ! s'impatienta M. Martin.

Nicolas lâcha d'un coup toutes ses inquiétudes :
– Est-ce qu'elle est très, très vieille ? est-ce qu'elle est horrible ? et toute branlante ? et…

Son père éclata de rire.
– Que tu es sot ! Ta mère ne t'a donc rien dit ? Il est vrai que tu ne paraissais guère avoir envie d'en entendre parler, de cette grand-mère !

Le garçon leva vers son père un regard déjà à demi rassuré :
– C'est Maman qui l'a choisie ?
– Non, pas vraiment, rit encore M. Martin. Mais on l'a consultée, et je sais que cette Mme Ushuari que nous attendons n'est pas en trop piteux état ! Tiens ! La voilà !

Un bruit de moteur venait de s'arrêter devant la maison. Deux portières claquèrent. M. Martin se leva et sortit à la rencontre de sa femme et de la nouvelle venue. Nicolas hésita. Devait-il s'avancer, lui aussi ? Et comment faudrait-il saluer cette inconnue : lui serrer la main, l'embrasser, ou simplement dire « bonjour » ?

Il était planté comme un nigaud au milieu du salon lorsque la porte s'ouvrit. Mme Martin lui sourit, puis s'effaça pour laisser entrer sa pensionnaire.

– Voici mon fils Nicolas ! dit-elle fièrement.

La vieille dame entra. Elle ne ressemblait absolument pas à toutes celles que Nicolas avait observées. Elle était très grande, très maigre, très maquillée – trop, sans doute, et le rouge vermillon qui colorait ses joues ne s'accordait guère avec le roux flamboyant de ses cheveux

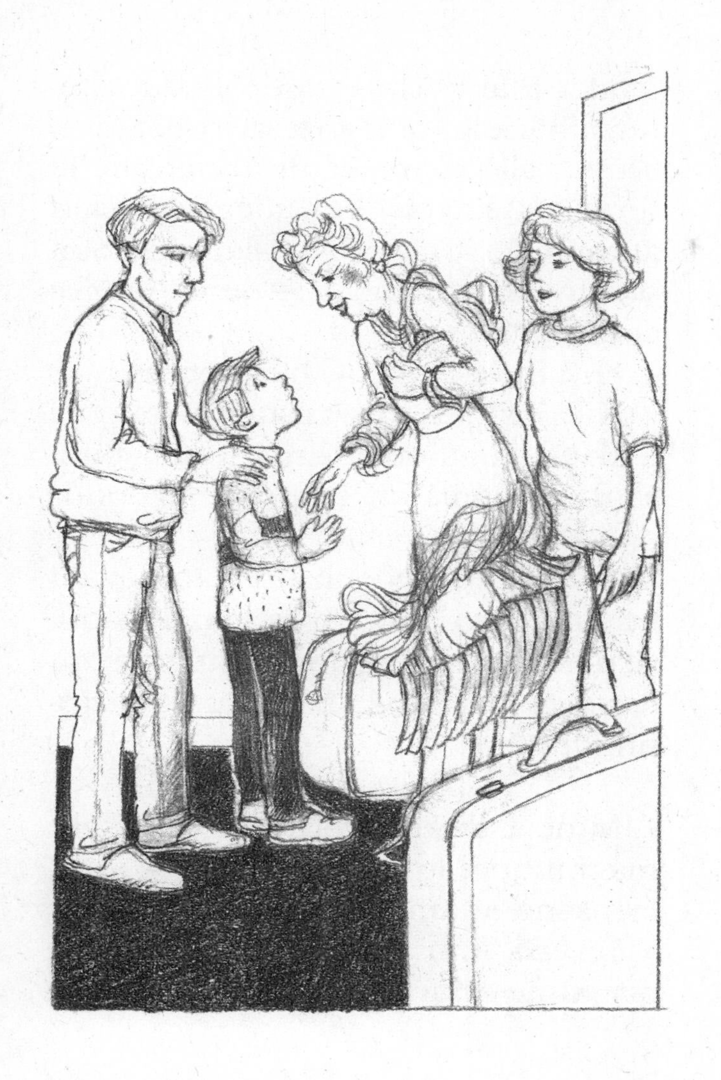

teints. Elle portait un drôle de vêtement bariolé, une sorte de robe, mais d'une telle ampleur de tissu qu'elle semblait l'avoir enroulé trois fois autour de son corps efflanqué. Son sourire découvrait des dents jaunes et chevalines.

– Hi ! fit-elle. Salut, beau gosse !

Nicolas, interdit, resta muet.

– Il est mignon à croquer ! ajouta Mme Ushuari en se penchant pour l'embrasser.

A croquer ? Nicolas recula devant les grandes dents, mais le baiser qui se posa sur sa joue fut étonnamment doux et parfumé. Il eut un sourire timide.

Mme Ushuari trouva sa chambre magnifique, le coin-lavabo très astucieusement aménagé.

– Je vais finir de préparer le dîner, dit Mme Martin. Voulez-vous que

Nicolas vous tienne un peu compagnie, ou préférez-vous vous reposer ?

– Il peut rester, nous ferons plus ample connaissance !

Sa mère quitta la pièce. La porte refermée, Nicolas toussota avec embarras. Qu'allait-il bien pouvoir dire à cette étrange personne ?

Mme Ushuari s'assit sur le lit et se laissa rebondir dessus à petits coups, sous le regard étonné du garçon.

– Oh ! ce lit a l'air merveilleusement confortable ! s'exclama-t-elle.

Elle se releva d'un bond et saisit la poignée de sa valise posée sur le sol. Elle tenta de la placer sur la table, mais ne réussit pas à la soulever assez haut et la laissa retomber d'un coup.

– Attendez !

Nicolas se précipita. Il pouvait au moins *faire* quelque chose. Il aida la vieille dame, et leurs efforts conjugués suffirent à hisser la lourde valise sur la table.

– Ouf ! Heureusement que tu es costaud ! Quel âge as-tu ?

– Neuf ans et demi, répondit Nicolas.

Et elle ? Quel âge pouvait-elle avoir ?

– Moi, j'en ai soixante-dix-neuf !... et demi, même ! proclama-t-elle comme si elle avait deviné ses pensées. Ça fait un paquet, n'est-ce pas ?

Elle ouvrit la valise, puis sembla oublier ce qu'elle voulait y chercher, car elle alla s'installer aussitôt dans le grand fauteuil près de la fenêtre.

– Alors ? Qu'est-ce que tu me racontes ?

Nicolas sourit sans rien trouver à dire.

– J'espère que je ne t'intimide pas !

Mme Ushuari eut un petit rire

assez chevrotant – un vrai rire de grand-mère.

– Allez, vas-y, dis-moi ce qui te passe par la tête !

– Ben… Il est drôle votre nom ! Mme Ush… Usha…

Nicolas rougit de confusion. Ses parents auraient jugé sa réflexion très impolie, et par-dessus le marché

il n'arrivait pas à se souvenir du nom exact de la vieille dame !

– Ushuari... Oui, c'est un drôle de nom ! C'est le nom de mon mari, il était indien.

– Indien !

Nicolas ouvrit de grands yeux.

– Pas un Indien avec des plumes et un tomawak ! sourit Mme Ushuari. Un Indien de l'Inde, tu vois où c'est ?

Oui, bien sûr, quelque part entre la Chine et l'Amérique, ou à peu près...

– Vous aussi, vous êtes indienne ?

Cela expliquerait peut-être son allure étrange, sa coiffure si... exotique !

– Pas du tout ! Je suis née en Normandie ; j'ai rencontré mon mari...

Mme Martin frappa à la porte, interrompant les confidences de la vieille dame. Les circonstances de la rencontre entre la Normande et l'In-

dien resteraient, pour un moment encore, mystérieuses.
– Nous allons dîner !

Mme Martin avait dressé le couvert sur la table de la cuisine, comme à l'ordinaire.
– C'est plus pratique, expliqua-t-elle à Mme Ushuari.
– Mais bien sûr ! Ne changez surtout pas vos habitudes pour moi ! Manger à la cuisine m'a toujours paru le symbole de la vie familiale...

Mme Ushuari se montra très gaie pendant le repas. Nicolas, fasciné, l'écouta raconter sa vie, en réponse aux questions que lui posaient M. ou Mme Martin. Lorsqu'elle expliqua qu'elle avait été acrobate dans un cirque, le garçon s'exclama, admiratif :
– Acrobate !

C'était là son rêve secret quand il était petit ! Longtemps, il s'était entraîné à réaliser cabrioles et équilibres ; mais une chute sévère par-dessus la rampe de l'escalier (et un bras cassé) avait quelque peu refroidi son enthousiasme.

Mme Ushuari repoussa sa chaise, se leva ; puis, sans effort apparent, dans un envol de toutes ses jupes, elle se mit soudain debout sur les mains, fit quelques « pas » le long du buffet, avant de retomber sur ses pieds, évitant d'extrême justesse le rebord de l'évier. Les parents de Nicolas en demeurèrent bouche bée, tandis que lui-même éclatait de rire et applaudissait de toutes ses forces.

– Oh, ce n'est rien, fit modestement Mme Ushuari en se rasseyant. Je suis vieille et rouillée, maintenant. Si vous aviez vu le numéro que nous faisions, mon mari et moi !

Son regard devint triste, tout à coup.

– Hélas, le pauvre est mort si jeune... Je suis alors devenue dresseuse de serpents.

Mme Martin, à peine remise de sa surprise, eut un frisson :

– Brrr ! quel courage vous deviez avoir !

– Oh ! sourit Mme Ushuari, vous ne pouvez pas savoir comme j'aimais ces charmantes petites bêtes ! Si affectueuses...

Nicolas était rouge de plaisir. Quelle grand-mère extraordinaire !

– S'il vous plaît ! Vous m'apprendrez ?

Dans son excitation, il secouait sans ménagement le bras ridé de Mme Ushuari.

– Quoi donc ? demanda celle-ci. A dresser des serpents ? Je n'en ai pas apporté...

Il y avait une nuance de regret dans sa voix. M. Martin avala de travers la bouchée de pain qu'il mastiquait. Il devint écarlate et se mit à tousser dans sa serviette. Sa femme dut lui donner quelques tapes dans le dos pour lui permettre de retrouver une respiration normale.

– Non ! A faire l'acrobate !

Mme Ushuari sourit au jeune garçon.

– Et bien d'autres choses encore... fit-elle mystérieusement.

Chapitre 3

Nicolas était beaucoup trop excité pour s'endormir ! Il s'agitait dans son lit, repoussait les draps, soupirait en attendant le sommeil. Il mourait d'impatience de retrouver Jérôme et de lui décrire l'extraordinaire grand-mère arrivée chez lui !

Bien plus tard, il entendit ses parents souhaiter une bonne nuit à Mme Ushuari et monter à leur tour.

Sa mère entra dans la petite chambre.

– Tu dors ? chuchota-t-elle.

Nicolas s'assit dans son lit. Mme Martin se pencha pour l'embrasser.

– Il est tard, tu devrais déjà dormir ! Dis-moi, quelle impression te fait Mme Ushuari ?

– Elle est... formidable ! (Le garçon cherchait ses mots.) Tu l'as drôlement bien choisie !

Sa mère rit doucement.

– Je suis contente qu'elle te plaise ! Il me semblait bien que vous pourriez vous entendre !

Demeuré seul, Nicolas sentit le sommeil le gagner enfin. Mais un murmure venant de la chambre de ses parents l'empêchait de s'y abandonner. Une parole un peu plus forte le réveilla tout à fait. Ses parents étaient-ils en train de se disputer ? Ce n'était guère leur habitude, cependant son père était devenu si... sombre et mécontent ces derniers mois !

L'enfant se glissa silencieusement sur le palier. La porte de l'autre chambre était fermée, mais un rai de lumière passait par-dessous. Nicolas s'approcha encore un peu. Il le savait, c'était très incorrect d'écouter aux portes, pourtant la curiosité était trop forte...

– ... Choisir une autre ! fit la voix mécontente de M. Martin.

Nicolas avait manqué le début de la phrase.

– Oh, elle est un peu originale, c'est vrai, mais...

– Elle est folle, oui, tu veux dire ! A-t-on idée de faire des cabrioles dans la cuisine, à son âge !

Nicolas entendit le rire clair de sa mère, et lui-même fut bien près de pouffer, dans l'ombre du palier.

– Je dois dire que je ne m'attendais pas à ça ! Mais c'est surtout pour le petit que j'ai accepté de la prendre, elle sera plus drôle pour lui qu'une grand-mère... ordinaire !

– Oui, eh bien, tu aurais peut-être mieux fait d'en prendre une « ordinaire », c'est moi qui te le dis ! bougonna M. Martin.

– Elle est si gentille ! protesta sa femme. Et elle est en assez bonne santé, ce qui n'est pas négligeable. Elle s'est très bien remise de la méchante grippe qui l'avait amenée à l'hôpital cet hiver. C'est son moral, ensuite, qui a été terriblement atteint quand elle a su que son propriétaire, profitant de sa maladie et de son absence – et peut-être aussi de son oubli de payer ses loyers ? – avait vendu son appartement. La pauvre a bien failli se laisser périr de chagrin... jusqu'au jour où je lui ai proposé de venir vivre chez nous. Elle a recouvré alors toute son énergie !

– J'ai vu ça, en effet ! grommela M. Martin. Méfie-toi quand même de ce qu'elle va mettre dans la tête de Nicolas. Elle va lui apprendre à dresser des serpents et...
– Mais non, tu exagères toujours !
Sur la pointe des pieds, Nicolas regagna sa chambre. Tout allait bien, ses parents ne se disputaient pas vraiment. Ils n'avaient pas le même avis sur Mme Ushuari, mais ce n'était pas grave. La seule chose importante était que la vieille dame, elle, se plaise chez eux !

Mme Martin se leva de très bonne heure pour prendre son service à l'hôpital. Nicolas perçut vaguement le bruit de ses pas dans l'escalier, puis il se rendormit. Quand il s'éveilla de nouveau, il fut surpris d'entendre de discrets bruits de vaisselle venant de la cuisine. Son père se serait-il levé tôt, lui aussi ? Depuis la perte de son emploi, il s'occupait de l'entretien de la maison, mais bien à contrecœur...

Nicolas bâilla, se frotta les yeux, jeta un regard à son réveil. Déjà l'heure de se lever... Ah, mais aujourd'hui, il était pressé ! Il allait passer chez Jérôme sur le chemin de l'école, il avait tant de choses à lui raconter !

Il descendit rapidement à la cuisine. Il s'attendait à y trouver son père et fut tout surpris de voir Mme Ushuari. Celle-ci, enveloppée dans une sorte de peignoir jaune vif, ses cheveux retenus dans un turban violet, faisait la vaisselle.

– Coucou, petit ! dit-elle d'une voix joyeuse, en agitant ses mains couvertes d'eau mousseuse.

– Mais..., remarqua le garçon, il y a le lave-vaisselle !

– Je sais, je sais... Ta maman a tout mis dedans hier soir, mais j'ai préféré l'enlever. C'est bien meilleur de laver à la main !
– Meilleur ?
– Meilleur pour la santé, voyons !

Mme Ushuari parlait sur un ton si convaincu que Nicolas n'osa pas la questionner davantage. Il craignait de paraître stupide.
– J'adore faire la vaisselle ! s'écria la vieille dame.

Elle trempa ses mains dans la bassine pleine de mousse, arrondit ses doigts noueux et souffla doucement. Une jolie bulle irisée s'envola vers Nicolas et éclata devant son nez.
– Bulle du matin, tout ira bien ! fit Mme Ushuari.

Nicolas sourit sans savoir quoi dire, puis il demanda :
– Avez-vous déjà pris votre petit

déjeuner ? Voulez-vous que je le prépare avec le mien ?

– Ça dépend... Que manges-tu le matin ?

– Ben... du lait avec du cacao, et des tartines de confiture ; mais il y a du café, ou du thé, et des cornflakes, si vous voulez !

Mme Ushuari secoua la tête.

– Non, ça ne va pas... Je te remercie, mais j'ai l'habitude de prendre ma tisane personnelle. Je vais la chercher !

Nicolas mit de l'eau à chauffer, et Mme Ushuari revint bientôt avec un petit sachet de poudre. Quand elle versa l'eau bouillante dessus, une odeur étrange s'éleva du bol fumant.

– Qu'est-ce que c'est ? questionna l'enfant en fronçant le nez.

– Un mélange de plantes... Il contient tout ce qu'il faut pour me

maintenir en forme. Tu veux goûter ?
– Non merci, fit poliment le garçon. Je crois que je préfère le cacao…
– Ah, tu as raison ! C'est une tisane pour vieille grand-mère, tu n'en as pas besoin ! Tu vas à l'école ce matin ?
– Ben… oui !
– Alors, avant de partir, montre-moi donc où sont les trucs, les machins, les balais, quoi, tu vois ce que je veux dire, les bidules pour nettoyer.
– Mais c'est Papa qui fait le ménage ! s'exclama Nicolas. Pas vous !
– Taratata ! Ce n'est pas un travail d'homme !

Le garçon sursauta. Sa mère disait toujours qu'il ne fallait faire aucune distinction entre un « travail d'homme » et un « travail de femme »…
– Il faut bien que je m'occupe ! continua la vieille femme, sans lui

laisser le temps de protester. Je ne vais pas me prélasser dans un fauteuil toute la journée pendant que ton père astique la maison !

Ma foi... Nicolas lui montra où étaient rangés les produits et le matériel d'entretien, tout en se demandant comment son père prendrait la chose. Il était devenu tellement susceptible qu'il n'apprécierait peut-être pas de se voir déchargé des travaux du ménage, même s'il les détestait !

Jérôme fut enthousiasmé par la description que son ami lui fit de Mme Ushuari. S'il ne l'avait pas aussi bien connu, il aurait pensé qu'il lui racontait des histoires – ou du moins qu'il embellissait la réalité !

A l'école, les autres enfants crurent difficilement Nicolas. Une grand-mère qui faisait des pirouettes dans la cuisine ! Une Indienne ! (« Pas elle ! » corrigeait en vain Nicolas.) Une « dompteuse » de serpents ! Pourquoi pas d'éléphants !

– C'est une grand-mère de cirque ! ricana Damien.

– Et alors ! Tu es bien content, quand tu vas au cirque ! Tu ne te moques pas des gens qui font le spectacle !

– Il est jaloux ! remarqua Caroline. Sa grand-mère à lui ne sait que ronchonner et regarder la télé !

Damien rougit.

– D'abord, c'est même pas ta grand-mère ! C'est pas ta vraie !

Les autres considérèrent Nicolas. Que pouvait-il répondre à cela ?

– Maintenant, c'est la mienne ! C'est... c'est ma grand-mère d'occasion ! acheva-t-il sur une inspiration subite.

Tous connaissaient les « voitures

d'occasion », les « occasions à saisir », mais une grand-mère... Jérôme eut le dernier mot :

– Ta maison, Damien... Elle était à quelqu'un d'autre, avant que tes parents l'achètent ! Eh bien, c'est quand même ta maison... d'occasion !

A midi, Nicolas trouva son père et Mme Ushuari en grande conversation dans le jardin. M. Martin montrait ses plantations à leur pensionnaire et celle-ci admirait les rangées de radis, carottes et autres petits pois en train de lever.

– Quel travail ! apprécia-t-elle.

M. Martin sourit avec fierté. Le seul aspect positif de ses loisirs forcés était le temps dont il disposait pour soigner son jardin. Quand il apportait à la cuisine les légumes tout frais cueillis, il avait le sentiment de

contribuer encore, malgré la perte de son gagne-pain, au bien-être de sa famille.

Réflexion faite, cette grand-mère plaisait assez à M. Martin. Elle avait certes des manières étonnantes, des vêtements pour le moins… étranges (elle portait maintenant une curieuse salopette vert cru, bouffante et matelassée), mais elle s'y entendait en ménage et savait reconnaître un jardin bien entretenu. Le petit avait l'air content… et s'il voulait apprendre quelques acrobaties, cela ne pourrait être bien dangereux !

Les jours suivants, Mme Martin fut pleinement convaincue d'avoir eu raison en accueillant Mme Ushuari. L'ambiance de la maison était changée, la morosité envolée. Son mari, si renfrogné auparavant, riait de bon cœur aux plaisanteries de la vieille dame ; Nicolas, fasciné, ne la quittait pas d'un pas dès qu'il rentrait de l'école. Au lieu de passer son temps chez Jérôme, il amenait son ami chez lui et les deux garçons s'entraînaient pendant des heures à de mystérieuses acrobaties dans la chambre de Mme Ushuari.

Bien sûr, il fallait s'habituer à ses bizarreries. Au début, quand on découvrait la vieille dame figée dans une posture de yoga au milieu de la cuisine, cela faisait un choc. Le jour où Mme Martin vit toutes ses chaises empilées dans la salle à manger et Mme Ushuari suspendue, tête en bas, à la plus haute, elle se sentit vaguement inquiète...

Et cette conviction qu'avait la vieille dame de pouvoir prévoir certains événements !

– Ne vous faites plus de souci pour votre mari, dit-elle à Mme Martin, la

première semaine de son séjour. Il va retrouver très prochainement du travail.

– Comment pouvez-vous dire ça ? Il cherche en vain depuis bientôt un an !

– J'ai un pressentiment... fit Mme Ushuari. Je vois des choses...

Mme Martin n'osa pas hausser les épaules, mais elle n'y croyait pas. Sa pensionnaire était un peu dérangée... mais si gentille qu'on lui pardonnait ses excentricités !

Le plus difficile fut pourtant d'admettre la présence de Marie-Antoinette. Mme Martin eut beaucoup de mal à s'y habituer...

Quelques jours après l'arrivée de Mme Ushuari, un mercredi matin où elle était en congé, Mme Martin sortit de l'armoire à linge une paire de draps propres et alla frapper à la porte de l'ancienne salle de jeux.

– Entrez ! fit la voix de Mme Ushuari.

Mme Martin ouvrit la porte. Nicolas faisait la roue sur le tapis, sous l'œil sévère de la vieille dame.

– Pas comme ça, vermisseau ! Regarde !

Et de faire une magnifique démonstration.

Mme Martin ne s'étonnait déjà plus des acrobaties de sa pensionnaire ; elle intervint :

– Excusez-moi de vous déranger ; j'ai apporté des draps propres, je vais changer votre lit.

Les deux femmes commençaient à peine à retirer les draps froissés quand Mme Martin poussa un cri perçant :

– Aaaah ! Qu'est-ce que c'est que ça ?

Une forme ailée s'envola du lit, tourna à hauteur de plafond, heurtant les murs de la chambre avec un bruit mou.

– Vous avez réveillé Marie-Antoinette ! s'exclama Mme Ushuari.

Elle siffla brusquement, de façon très aiguë, et « la chose » vint se poser sur son épaule.

– Je ne savais pas que vous aviez un oiseau, balbutia Mme Martin, encore toute pâle.

– Ce n'est pas un oiseau ! répondit la vieille dame.

Mme Martin se pencha un peu (elle était légèrement myope), puis recula d'un coup.

– Une chauve-souris ! Quelle horreur !

– Ne dites pas ça, ma petite ! C'est Marie-Antoinette, une amie très douce...

Mme Ushuari caressa du doigt la petite boule de poils accrochée, tête en bas, au col du chemisier mauve et vert qu'elle portait ce jour-là.

Nicolas, assis sur le tapis, observait la scène. Il lui avait bien dit, à « Mamie Ush », comme il l'appelait maintenant, que sa mère n'aimerait guère l'animal. Il lui avait même recommandé de ne pas en parler...

– Elle est gentille, tu sais, Maman ! intervint-il. Elle ne mord que quand elle a peur !

– Parce que ça mord, en plus !

Mme Martin en avait la chair de poule.

– C'est horriblement dangereux ! Jetez-moi ça dehors !

La joyeuse, l'aimable Mme Ushuari se figea, très raide.

– Jamais ! Ou alors je m'en vais avec !

– Maman ! supplia Nicolas, affolé.

Le cri de son fils fit reprendre ses esprits à Mme Martin. Non, elle ne pouvait obliger Mme Ushuari à se séparer de son animal familier. Et elle ne souhaitait surtout pas son départ !

– Écoutez... je ne sais pas, moi, mettez-la dans une cage !

– Elle a toujours vécu en liberté..., murmura Mme Ushuari. Elle vit avec moi depuis plus de dix ans ; à l'hôpital, jamais personne ne s'est aperçu de sa présence ! Elle est très apprivoisée, elle comprend ce que je

lui dis. Ce n'est pas un vampire ! Vous n'avez pas à en avoir peur !
– Je n'ai pas peur, fit Mme Martin, plus sèchement qu'elle ne l'aurait voulu. Mais ça me... brrr, comment pouvez-vous la toucher, la tenir sur vous !
– Caressez-la, proposa Mme Ushuari en avançant d'un pas.

Mme Martin recula précipitamment jusqu'à la porte.

– Non, non ! Vous pouvez la garder, mais à une condition : mettez-la en cage, et qu'elle ne quitte jamais cette chambre !
– Je vous le promets, dit Mme Ushuari. Puis-je seulement, le soir, ajouta-t-elle timidement, la laisser un peu voler dehors ? Elle fait un tour, se nourrit, et revient toujours dès que je l'appelle.

Mme Martin accepta ce compromis, et sortit sans arranger le lit. La vieille dame décrocha Marie-Antoinette de son col et la fit se suspendre au coin du paravent. Nicolas vint la caresser doucement.

– Elle dort, remarqua-t-il.

Il aida de son mieux Mme Ushuari à tendre les draps propres.

– Si vous voulez, dit-il, on ira ensemble acheter une cage, cet après-midi. On cherchera la plus belle, pour que Marie-Antoinette ne s'ennuie pas.

Mme Ushuari essuya une larme furtive sur sa vieille joue trop peinte.

– J'aimerais que tu me dises « tu », vilain petit acrobate…

Chapitre 4

Toute la famille était à table, quelques semaines plus tard, lorsque le téléphone sonna. Mme Martin posa sa fourchette dans son assiette et se leva.

– Je crois que c'est pour Robert, déclara tranquillement Mme Ushuari. (Elle appelait ses hôtes par leurs prénoms, depuis quelque temps.)

M. Martin ouvrit la bouche, la referma sans rien dire. Il sourit à sa femme, qui se rassit, et alla lui-même répondre au téléphone.

– A mon avis, c'est une bonne nouvelle, fit encore Mme Ushuari. Peut-être bien du travail…

– Allons, Mamie Ush, protesta Mme Martin. (Ils avaient tous adopté le surnom trouvé par Nicolas. C'était beaucoup moins cérémonieux que de dire « madame » toute la journée.) Vous n'en savez rien !

– Oh, je sais beaucoup de choses ! gloussa la vieille dame. Mais ce travail me semble…

– Difficile ? suggéra Nicolas.

Il croyait, lui, ce que disait Mme Ushuari. Plus d'une fois, elle avait su par avance ce qui allait arriver.

– Non… mais peut-être… lointain ?

Elle n'avait pas l'air très sûre d'elle. Mme Martin sourit.

– Reprenez donc un peu de salade, au lieu de divaguer !

– Merci, charmante enfant, dit Mme Ushuari sans se vexer.

M. Martin revint dans la cuisine. Il paraissait très ému.

– Qui était-ce ? demanda sa femme.

– Tu ne le croiras jamais ! J'ai du boulot ! ! !

Il hésitait entre le sourire et les larmes. Mme Martin poussa une exclamation :

– C'est vrai ? ! Oh, c'est merveilleux ! Quel travail ? Où ça ?

– Dans une usine de meubles... Mais pas ici, malheureusement, sur la Côte.

Eh bien, Mme Ushuari ne venait-elle pas de le dire ? Elle sourit modestement, en réponse au coup de coude complice de Nicolas.

M. Martin fut obligé, pour son nouvel emploi, de s'absenter toute la semaine. Il ne retournait chez lui que le vendredi soir, et en repartait le lundi matin de très bonne heure. Heureusement on lui promit, s'il faisait l'affaire, de le muter quelques mois plus tard dans une usine plus proche de son domicile.

Nicolas s'était habitué à voir son père toute la journée à la maison ; même si l'humeur de M. Martin s'était assombrie au fil des mois, il était toujours resté disponible pour aider son fils à faire ses devoirs ou pour l'emmener promener. Désormais, le fauteuil à bascule, inoccupé, donnait au garçon un étrange sentiment de manque et d'abandon... Sans Mme Ushuari, il aurait été bien triste !

Pour Mme Martin, la présence de la vieille dame parut une véritable bénédiction. Ses propres horaires de travail changeaient sans cesse, et Nicolas se serait bien souvent retrouvé seul, sans Mamie Ush. De plus, celle-ci s'occupait très efficacement du ménage, avec une énergie étonnante chez une personne de son âge.

Le seul reproche qu'on aurait pu lui faire concernait sa façon de préparer les repas. Sortie un jour de l'hôpital plus tôt que prévu à la suite d'une erreur de planning, Mme Martin rentra chez elle à l'improviste, à l'heure du déjeuner.

Dès qu'elle pénétra dans la maison, une étrange odeur fit frémir ses narines. Cela sentait… la friture, oui, mais avec en plus… quoi ? Cela lui rappelait quelque chose qu'elle ne parvenait pas à définir.

Elle poussa la porte de la cuisine. Une bouffée de fumée l'aveugla presque.

– Tiens, Francine ! gloussa Mme Ushuari, penchée, telle une sorcière, au-dessus d'une marmite bouillonnante. Vous arrivez de bonne heure, aujourd'hui !

Mme Martin ne put répondre, suffoquée par une brusque quinte de toux.

– Tu vas manger avec nous, Maman ! se réjouit Nicolas. Mamie Ush a préparé des beignets !

– Je vois, je vois ! prononça difficilement sa mère, en frottant ses yeux larmoyants. On pourrait peut-être ouvrir la fenêtre ?

– Où avais-je donc la tête ? se reprocha Mme Ushuari.

L'air frais chassa le plus gros de la fumée. Mme Martin s'assit derrière la table, et Nicolas lui tendit une assiette pleine de beignets croustillants.

– Mmm ! Ça a l'air appétissant ! Qu'est-ce qu'il y a dedans ?

– Ceux-ci sont des beignets de feuil-

les de moutarde, et ceux-là de pourpier, expliqua Mme Ushuari.
– Ah ? ? ?

Mme Martin considéra d'un œil perplexe le beignet qu'elle allait porter à sa bouche. Nicolas poussa un bol vers elle.
– C'est drôlement bon, tu vas voir ! surtout avec la sauce !

Un liquide bleu-noir emplissait le bol à demi. Mme Martin hésita, puis y trempa très légèrement l'extrémité de son beignet.
– Ce... cette sauce... qu'est-ce que c'est ?
– Je la fais en mixant différentes plantes, et en ajoutant du yaourt et de l'eau de rose. C'est excellent pour la santé !

Mme Martin grignota un tout petit morceau de beignet. La saveur en était étrange, ni salée ni sucrée, plutôt... parfumée !

– C’est délicieux, mentit-elle. Mais j’ai déjà mangé à l’hôpital, et je n’ai vraiment plus faim !

Et elle reposa lâchement le beignet à peine entamé dans l’assiette. Nicolas croqua le reste avec délices.

– Mamie Ush sait faire de très bonnes choses, tu sais, Maman ! Du poisson au miel, des gâteaux aux épinards, de la purée de glands…

La vieille dame eut un petit rire modeste.

– J’ai voyagé dans bien des pays… J’en ai rapporté des recettes qui peuvent vous paraître étranges…

Mme Martin sentit un vague sentiment de jalousie lui pincer le cœur. Nicolas était *très* difficile à table, chipotait sur tout, n’aimait pas ceci, ne supportait pas cela… Et voilà qu’aux bons petits plats de sa mère il préférait ces beignets répugnants et autres ragoûts bizarres, et ces sauces aux plantes indéterminées, ces purées… les glands n'étaient-ils pas toxiques ? Pourvu que Mme Ushuari ne le rende pas malade !

La vieille dame se rendit compte que son hôtesse était contrariée, aussi ne protesta-t-elle pas lorsque Mme Martin rangea toute la vaisselle sale dans la machine. Elle était pourtant persuadée que les vibrations du lave-vaisselle étaient mauvaises pour la digestion. Même dans sa chambre, elle se sentait mal à l'aise quand la machine fonctionnait.

Nicolas suivit Mamie Ush dans l'ancienne salle de jeux. La vieille dame exécuta une magnifique pirouette, rebondit sur son lit et s'y allongea.

– Je vais faire une bonne petite sieste ! Et toi, garnement, tu pars tout de suite à l'école ?

– Bientôt, répondit vaguement le petit garçon.

Il s'approcha de la table où trônait la cage de Marie-Antoinette et observa la petite chauve-souris. Celle-ci ne semblait pas souffrir de la perte de sa liberté. La tête en bas, ses minuscules pattes griffues serrant fermement le perchoir de bois, elle dormait tranquillement.

– Nicolas !

La voix de Mme Ushuari était sévère. L'enfant se retourna, surpris. La vieille dame le fixait de son regard perçant sous le fard.

– Tu ne sais pas ta leçon de géographie !

Ce n'était pas une question. Elle *savait* qu'il ne l'avait pas apprise...

– Tu vas être interrogé cet après-midi. Dépêche-toi de revoir ça en vitesse !

Nicolas la crut sur parole. Il monta

en courant dans sa chambre et ouvrit son livre. Heureusement que Mamie Ush l'avait prévenu ! Sans elle, il aurait encore eu une mauvaise note – et il en avait déjà toute une collection dans son carnet. D'ici quelques jours, il faudrait faire signer ce maudit livret à ses parents...

– C'est invraisemblable !

Le carnet scolaire de son fils à la main, rouge de colère, M. Martin marchait de long en large dans le salon.

– Deux et demi en calcul ! Zéro en dictée ! Un en grammaire ! Douze – bon, ça, ça passe – en lecture, mais quatre en sciences naturelles ! C'est inadmissible !

Nicolas, assis du bout des fesses sur le divan, baissait le nez sans rien dire. Jamais il n'avait eu d'aussi mauvaises notes.

– Je n'ai pas beaucoup de temps pour vérifier son travail chaque soir, dit faiblement Mme Martin.
– Tu ne peux pas travailler à sa place ! C'est un paresseux qui ne se donne aucune peine ! Et tu sais pourquoi ? parce qu'il préfère faire des cabrioles et autres acrobaties de pitre, plutôt que d'apprendre ses leçons !

Le garçon savait que son père avait raison. Depuis l'arrivée de Mamie Ush, il expédiait en cinq minutes devoirs bâclés et leçons à peine effleurées du regard. Mais il avait appris tant d'autres choses ! Ce n'était peut-être pas le moment de le faire remarquer ? Il était capable d'effectuer des roues parfaites, des doubles sauts périlleux et des vrilles époustouflantes ! Jérôme et lui avaient décidé de devenir acrobates professionnels et de monter un numéro ensemble. Alors, le calcul et l'orthographe !...

– Tu ne fiches plus rien depuis l'arrivée de Mme Ushuari, remarqua tristement M. Martin. Elle a une influence déplorable sur toi... Je l'avais pensé depuis le début ! Si ça continue, nous serons obligés de la renvoyer à l'hôpital !

– Oh non ! s'écria Nicolas. Tu ne peux pas faire ça !

– Et pourquoi pas ? répliqua son père. J'ai un salaire, à présent. Avec celui de ta mère, cela nous suffit, nous n'avons plus vraiment besoin de la pension de ta Mamie Ush !

– Mais... c'est ma grand-mère, maintenant !

Nicolas fondit en larmes. Il n'avait pas pleuré ainsi depuis bien longtemps, comme un petit enfant. Mme Martin sentit elle aussi ses yeux se mouiller.

– On ne peut pas la renvoyer ! glissa-t-elle à son mari.
– Bien sûr que non ! murmura-t-il. Il ajouta plus haut : il faut faire un effort, Nicolas. Mets-toi sérieusement au travail ! Si ton prochain bulletin est aussi nul, nous serons obligés de prendre une décision au sujet de Mme Ushuari !

Nicolas tenta de trouver du réconfort auprès de la vieille dame.
– Tu t'es fait gronder, n'est-ce pas ? demanda-t-elle.

Nicolas hocha la tête.
– Ton père pense que c'est ma faute ?
– N-non…

L'enfant ne savait guère mentir.
– Tu ne partiras plus jamais, dis ? implora-t-il soudain, ses yeux bleus fixés sur le visage usé.
– Ah, c'est donc ça… Non, mon

petit papillon doré, rassure-toi. Je resterai auprès de toi. Mais tu vas te mettre au travail, promis ?

– Oui !

Nicolas était bien d'accord. Cependant…

– J'ai composition d'histoire, demain… Tu ne pourrais pas me deviner le sujet ?

Mme Ushuari ferma les yeux, agita ses doigts maigres au-dessus de son front. Le garçon attendait, plein d'espoir.

– Je ne vois rien, soupira la vieille dame.

– Essaie encore ! supplia-t-il.

Mme Ushuari plissa les paupières dans une grimace de toutes ses rides. Elle porta la main à son cœur, puis à sa bouche, enfin à son front.

– Napoléon ? suggéra-t-elle.

Chapitre 5

Le sujet de la composition d'histoire ne portait pas sur l'époque napoléonienne. Heureusement pour Nicolas, il n'eut pas à s'en préoccuper. Le jour même où l'épreuve devait avoir lieu, il se réveilla avec un violent mal au ventre.

– Tu en fais des histoires ! protesta sa mère. Tu as toujours mal quelque part les matins de composition. Allez, lève-toi, cesse ta comédie et prépare-toi pour l'école !

Nicolas posa un pied tremblant sur

le sol. Son ventre le faisait tellement souffrir qu'il avait de la peine à marcher. Il réussit pourtant à descendre à la cuisine.

– Que tu as mauvaise mine ! s'exclama Mme Ushuari.

– N'y faites pas attention ! grommela Mme Martin.

Elle en voulait encore à son fils pour ses mauvaises notes. Il avait gâché les jours de repos de son père. Et maintenant il faisait des chichis parce qu'il ne savait – certainement ! – pas ses leçons !

– Maman... j'ai mal ! gémit-il.

Mme Martin fut saisie par le ton angoissé de l'enfant. Elle le regarda attentivement. Blême, les pieds sur les barreaux de sa chaise, les bras serrés contre son ventre, il grimaçait de douleur.

– Mon bébé !

Mme Martin se précipita vers lui.

Ça ne va vraiment pas ? Viens t'allonger sur le divan, je vais appeler le docteur Bancarel…

Nicolas fut opéré d'urgence de l'appendicite l'après-midi même. Il ne reprit vaguement ses esprits que tard dans la soirée. Il vit sa mère à son chevet, se rendormit, rouvrit les yeux des heures plus tard et aperçut, dans un brouillard cotonneux, les grandes dents et les cheveux oranges de Mamie Ush. Le sommeil le reprit aussi vite.

Au petit matin, Mme Martin était de nouveau assise dans le fauteuil auprès du lit.

Nicolas sentait ses lèvres craquelées de soif. Sa langue lui parut rêche et cartonneuse.

– ... soif, murmura-t-il.

Mme Martin lâcha son tricot.

– Comment vas-tu ? Ne bouge pas ! Je vais appeler l'infirmière !

Le petit garçon réussit à attraper la main de sa mère.

– Napoléon ? prononça-t-il difficilement.

– Quoi ? ? ? (L'espace d'un instant, elle crut qu'il délirait.) Oh, je n'en sais rien ! Ne te tracasse pas pour ça, mon amour, ça n'a aucune importance !

Nicolas avait toujours pensé exactement la même chose...

La convalescence de Nicolas fut pour Mme Ushuari l'occasion de démontrer l'utilité de sa présence, et de se faire pardonner les mauvaises notes du petit garçon. Grâce à elle, Mme Martin put continuer à aller travailler, sachant que son fils était bien soigné et surveillé. Le médecin avait défendu tout exercice physique pendant un mois et demi ou deux – et Mme Ushuari interdit à Nicolas la moindre galipette pendant ce temps. Chaque soir, Jérôme apportait à son ami les cahiers contenant le travail de la journée, et, à l'aide de ce matériel, la vieille dame obligeait Nicolas à étudier. Les problèmes qu'elle inventait avaient toujours une touche de bizarrerie, ainsi que les dictées qu'elle improvisait, de sorte que le petit garçon les prenait presque comme un jeu et s'appliquait de bon cœur. Elle le récompensait par de menus cadeaux (voitures miniatures, billes, petits personnages en plastique) dont elle semblait posséder une mine inépuisable.

Nicolas put enfin retourner à l'école et Mamie Ush se reposer un peu. Tout allait bien, la vie de la famille Martin avait repris un cours paisible, quand soudain...

Ce fut d'abord un matin comme tous les autres, un mercredi qui s'annonçait tranquille. Mme Martin était en congé ce jour-là, Nicolas n'avait pas de cours ; Mme Ushuari fit une petite grasse matinée...

Mme Martin sortait les assiettes du lave-vaisselle lorsque la vieille dame entra dans la cuisine. Elle semblait préoccupée.

– Francine... Vous n'auriez pas vu Marie-Antoinette, par hasard ?

– Marie-An... Hiiii ! ! !

La pile d'assiettes tomba avec fracas sur le sol. Des éclats sautèrent dans toute la pièce.

– Où est-elle ? Vous l'avez laissée échapper ? demanda Mme Martin d'une voix stridente.

Nicolas pénétra en trombe dans la cuisine.

– Je l'ai vue, Mamie Ush ! Elle est là !

Il montrait du doigt la silhouette agitée qui cognait des ailes contre la fenêtre. Mme Martin poussa un cri aigu et se couvrit la tête de son tablier.

– Sortez-la ! Sortez-la ! hurla-t-elle.

Mme Ushuari, pour la première fois depuis son arrivée chez les Martin, manifesta un peu d'impatience.

– Taisez-vous donc, petite sotte ! Vous l'affolez complètement, avec vos glapissements !

La vieille dame avait beau siffler et appeler, la bête n'obéissait pas. Nicolas courut au garage, chercher le filet à crevettes qui n'avait servi qu'une fois, bien des années plus tôt. Après quelques essais malhabiles, il réussit à coincer Marie-Antoinette contre le plafond et à la faire choir dans le filet. Mme Ushuari s'empressa de saisir son animal favori.

– Elle meurt de peur ! Regarde, Nicolas, comme son petit cœur bat vite ! A-t-on idée d'effrayer à ce point une pauvre bête inoffensive ? !

Elle quitta la cuisine, dans un grand bruit de jupes froissées (elle portait ce jour-là une robe à multiples volants bleus et jaunes). Nicolas s'avança vers sa mère.

– C'est fini, Maman, dit-il doucement.

Il toucha du bout des doigts le bras de sa mère. Elle avait la chair de poule. Elle sursauta et abaissa son tablier.

– Je l'avais prévenue ! gronda-t-elle. Jamais cette sale bestiole ne devait sortir de sa chambre !

– Ça n'existe pas, une cage à

chauve-souris, tenta d'expliquer Nicolas. Les barreaux sont trop écartés !

– J'en parlerai à ton père samedi ! Tu verras ce qu'il dira !

L'ambiance resta lourde et pénible pendant tout le déjeuner. Mme Martin boudait (Mme Ushuari ne l'avait-elle pas traitée de « petite sotte » ?) et posait bruyamment les plats sur la table. Nicolas observait Mamie Ush, le cœur serré. Son père allait-il l'obliger à se séparer de Marie-Antoinette ? Si tel était le cas, Mamie Ush préférerait partir, Nicolas en était certain ! La vieille dame, pâle et crispée, ne disait rien. Elle semblait respirer avec difficulté, et se contenta de grignoter quelques bouchées de chaque plat.

Après le repas, elle annonça qu'elle allait « faire quelques courses » en ville.

– Je t'accompagne ? proposa Nicolas.
– Toi, tu vas apprendre tes leçons, dit Mme Martin d'une voix coupante.

Mme Ushuari eut un regard triste vers le petit garçon. D'un signe de tête, elle lui conseilla d'obéir sans discuter.

Nicolas rêvait sur son livre de sciences, sans même savoir ce qu'il lisait, quand le téléphone sonna. Heureux de la diversion, il dévala l'escalier et décrocha le récepteur installé dans l'entrée.
– Allô ! dit-il tout essoufflé.
– Je voudrais parler à Mme Martin, fit une voix inconnue.
– Maman ! cria Nicolas sans s'éloigner de l'appareil.

Sa mère sortit du salon et lui lança un regard interrogateur. Il eut une mimique d'ignorance et lui tendit le récepteur, avant de porter le second écouteur à son oreille. Ses parents lui reprochaient souvent sa curiosité ; il adorait écouter les conversations téléphoniques !

– Madame Martin ?

– Oui ?

– Ici, M. Bonneau, des Nouvelles Galeries. Nous avons une personne, Mme U... Ush... Ushuari, qui dit...

– Oui, eh bien, qu'est-ce qui se passe ?

– Voilà... Nous avons interpellé votre... votre mère ? (Mme Martin eut un haussement d'épaules agacé.) Elle a, comment dire, subtilisé quelques articles dans nos rayons et...

– J'arrive !

Madame Martin raccrocha le combiné si brutalement que Nicolas en eut mal aux oreilles. Il reposa l'écouteur sans rien dire.

– Ça continue ! explosa Mme Martin. J'aurais dû écouter ton père !

Une voleuse ! Cette grand-mère ne nous apporte que des ennuis !

Non, pas que des ennuis ! Mais Nicolas n'eut pas le temps de protester.

– Viens avec moi ! Il faut aller voir ce qu'elle a encore inventé comme bêtises !

Dans le bureau du directeur des Nouvelles Galeries, Mamie Ush faisait triste figure. Exposés devant elle, les objets qu'elle avait tenté d'emporter sans les payer : du fard à paupières, un petit pot de faux caviar, un foulard de soie multicolore, un sachet de billes...

– Elle avait camouflé tout cela dans ses jupons ! ricana le directeur.

Mme Ushuari baissa la tête.

– Je vais régler ces achats, fit sèchement Mme Martin. Combien vous dois-je ?

– Ah, mais ce n'est pas si simple ! Nous pouvons porter plainte, et...
– Combien ?

Le directeur accepta le juste prix. Mme Martin paya sans sourciller. Nicolas serrait très fort la main tremblante de Mamie Ush.

Dans la voiture, Mme Martin ne desserra pas les dents. Elle conduisait sans jeter le moindre regard à sa pensionnaire assise à ses côtés, ni à Nicolas installé sur la banquette arrière.

En arrivant devant la maison, Mme Ushuari tenta un faible : « Merci ! »

Mme Martin haussa les épaules avec colère et ne répondit rien. La vieille dame sembla se voûter d'un coup. Sous son maquillage, ses traits étaient tirés et son teint affreusement pâle. Nicolas voulut la suivre dans sa chambre.

– Nicolas ! Tu montes immédiatement finir ton travail ! Je ne veux pas te voir en bas avant ce soir !

Mme Martin était vraiment très fâchée, et son fils n'osa pas protester. Mme Ushuari gagna sa chambre à pas lents et referma la porte sans bruit.

Quand Nicolas descendit pour le dîner, sa mère était seule dans la cuisine. Il n'y avait que deux couverts sur la table.

– Tu manges à l'hôpital ? demanda le garçon.

– Non ! Je dîne avec toi, je ne prends mon service qu'à dix heures ce soir.

– Et... Mamie Ush ? questionna piteusement Nicolas.

– Elle n'a pas faim ! répondit Mme Martin d'une voix brusque. Elle prétend qu'elle ne se sent pas bien !

Elle était encore en colère, mais surtout très indécise. Que devait-elle faire ? Renvoyer la vieille dame ? Nicolas en aurait une peine immense... Elle-même s'était attachée à cette étrange grand-mère ! Pourtant fallait-il garder quelqu'un qui donnait un si mauvais exemple ?... Ah, si seulement Robert était là !

Mme Martin monta embrasser Nicolas et lui souhaiter bonne nuit, avant de partir travailler.

– Dors bien !

Le petit garçon soupira. Bien dormir, après une journée pareille !

Il entendit le moteur de la voiture s'éloigner. Vite, il se leva et descendit l'escalier. L'entrée était obscure, et aucune lumière ne filtrait sous la porte de Mamie Ush. Il frappa doucement – aucune réponse –, puis plus fort.

– Nicolas ?

La voix de Mme Ushuari était curieusement changée. Le garçon ouvrit la porte et se tint sur le seuil.

– Viens, mon caneton !

La vieille dame alluma sa lampe de chevet. Son visage paraissait d'un blanc crayeux sur l'oreiller ; ses yeux étaient rouges et gonflés comme si elle venait de pleurer.

– Mamie Ush ! Tu vas bien ?

– Ne t'en fais pas, galopin, dit-elle en tapotant le bras de l'enfant de sa main toute osseuse. Demain sera un autre jour !

Nicolas ne fut pas certain d'avoir compris ce qu'elle voulait dire. Il avait une question à lui poser :

– Tous les jouets que tu m'as donnés… tu les as aussi volés ?

Mme Ushuari découvrit ses grandes dents en un sourire forcé.

– Mais non ! (Elle mentait avec beaucoup de conviction.) C'est juste aujourd'hui... Je n'avais plus d'argent, et je voulais offrir quelque chose à ta mère, pour excuser Marie-Antoinette...

Le garçon sourit, soulagé. Il avait craint d'être obligé de rendre toutes ses récompenses...

La vieille dame avait le souffle court. Elle tourna la tête avec difficulté.

– Sois gentil... Fais-la sortir un moment !

Nicolas ouvrit la cage. La chauve-souris fila tout de suite par la fenêtre.

– Elle a besoin d'un peu de liberté, remarqua Mme Ushuari. Elle reviendra dans cinq minutes.

L'enfant connaissait la façon de siffler qui faisait revenir l'animal. Dès son premier appel, Marie-Antoinette voleta dans la pièce et vint s'agripper à son perchoir. Nicolas ferma soigneusement la porte de la cage. L'animal pouvait très facilement passer entre les barreaux, mais, exception faite de ce matin, il ne semblait même pas en avoir envie.

– Va te coucher, mon crapaud chéri, murmura Mamie Ush. Je suis fatiguée...

Chapitre 6

Au petit matin, dans un demi-sommeil, Nicolas eut vaguement conscience d'un remue-ménage inhabituel dans la maison. Il distingua la voix de sa mère, un bruit de portes ouvertes et refermées sans précaution… Il crut à un rêve et se retourna dans ses draps. Quand il se réveilla pour de bon, le soleil brillait et l'heure de l'école était largement passée.

Neuf heures ! Il sauta de son lit, dévala l'escalier. Il avait oublié de programmer son réveil ! L'école avait déjà commencé ! Il allait se faire punir, par le maître et par sa mère !

Dans la cuisine, Mme Martin tournait tristement une petite cuillère dans sa tasse de thé. Nicolas s'arrêta net.

– Tu es réveillé ? remarqua sa mère sans faire allusion à son inexcusable retard.

– Ben oui… Où est Mamie Ush ?

Il fila vers la salle de jeux.

– Nicolas ! appela Mme Martin, trop tard pour l'arrêter.

Le lit était défait, la pièce vide. Nicolas eut l'impression qu'il ne pouvait plus respirer. Il fit demitour.

– Où est-elle ?

– A l'hôpital…

– A l'hôpital ? ! Tu l'as renvoyée ? ? ! ! Tu n'avais pas le droit ! hurla-t-il, fou de chagrin.

Mme Martin eut du mal à crier plus fort que son fils :

– Je ne l'ai pas renvoyée ! Elle est malade !

Malade, Mamie Ush ?

– Elle a eu une sorte de crise cardiaque cette nuit... Quand je suis rentrée ce matin, elle n'allait pas bien du tout, j'ai appelé le médecin et l'ambulance.

– Elle va mourir ?

Nicolas avait souvent entendu sa mère parler de ses malades. Une crise cardiaque, l'hôpital, tout cela était grave !

– Je ne crois pas, murmura Mme Martin en serrant l'enfant contre elle. Elle va être bien soignée...

Nicolas dut attendre la semaine

suivante pour rendre visite à Mme Ushuari à l'hôpital. Avant cela, il s'était fait renvoyer à chacune de ses tentatives d'entrer dans le service où elle était soignée.

Enfin, le lundi après l'école, personne ne l'empêcha d'avancer le long du couloir et de frapper à la porte 436, le numéro de chambre qu'on lui avait indiqué dans le hall d'accueil.

En réponse à ses coups timides, une voix inconnue lança :

– Entrez !

En pénétrant dans la pièce, il crut tout d'abord s'être trompé de numéro. La vieille dame assise dans le lit était petite, bossue, chauve... Elle lui sourit de sa bouche édentée. Nicolas faillit s'excuser et ressortir, mais de l'autre lit une voix familière l'interpella :

– Alors, polisson ! Tu as enfin trouvé

le temps de venir voir ta vieille grand-mère ?

Le petit garçon courut vers Mme Ushuari et se jeta à son cou.

– Doucement ! Tu vas me casser !

La vieille dame avait fort mauvaise mine – de grands cernes sous les yeux, pas de maquillage, les cheveux en désordre… Mais elle souriait avec amour et Nicolas fut enfin rassuré. Non, elle n'allait pas mourir ! Le poids des jours d'angoisse s'envola.

– Tu t'occupes de Marie-Antoinette ? Tu la fais sortir le soir ? demanda-t-elle.

– Bien sûr ! D'ailleurs, j'ai une surprise pour toi. Regarde !

Il entrouvrit son blouson et sortit de la poche intérieure une petite boîte en carton. Il souleva le couvercle avec mille précautions. Mme Ushuari se pencha.

– Marie-Antoinette !

Sur le fond de carton, le petit animal dormait tranquillement. Mamie Ush saisit la boîte et caressa la douce fourrure.

– Tu es un ange, mon loupiot ! Tu ne peux pas savoir comme tu me fais plaisir. Ah, je me sens mieux !

– Tu veux la garder ici ? proposa Nicolas.

– Non, tu es gentil, mon petit crocodile, mais je ne pourrais pas m'en occuper. Je sais qu'elle est bien chez toi et que tu ne la laisseras manquer de rien.

Le garçon rangea soigneusement la boîte dans la poche de son blouson, puis il ôta le vêtement et le posa sur la chaise.

– Je continue mon entraînement, tu sais ! Regarde !

Il enchaîna pirouettes et cabrioles. Les joues de Mme Ushuari prirent un peu de couleur. L'autre grand-mère, dans le lit voisin, émit un gloussement chevrotant et applaudit.

La porte s'ouvrit. C'était Mme Martin, en blouse blanche d'infirmière.

– Tiens, tu es là ! fit-elle en souriant. Les visites sont encore interdites !

– Personne ne m'a rien dit, affirma Nicolas.

Mme Martin eut un petit rire, puis elle se pencha pour embrasser Mme Ushuari.

– Je viens de voir le médecin, dit-elle. Il vous trouve beaucoup mieux ! D'ici quelques semaines, vous pourrez rentrer chez nous !

Nicolas n'osait en croire ses oreilles. Mamie Ush allait revenir, il n'était plus question de la renvoyer, ses « bêtises » étaient oubliées !

– A mon tour de vous donner une bonne nouvelle, sourit la vieille dame. Je crois bien que Robert va être muté prochainement à l'usine voisine...

Dans le couloir, Mme Martin raccompagnait son fils vers la sortie de l'hôpital. Perdant le sourire joyeux qu'elle avait dans la chambre, elle avait pris un air soucieux qui alerta Nicolas.

– Maman ! Mamie Ush ne va pas si bien ? Ce n'est pas vrai, ce que tu lui as dit ?

– Mais si, que vas-tu chercher là !
– Le docteur dit qu'elle va guérir, n'est-ce pas ? Et elle va revenir chez nous ? insista le garçon.
– Mais oui ! Seulement...

Mme Martin s'arrêta en haut de l'escalier.

– Je me fais du souci... Tout à l'heure, avant de venir travailler, j'ai voulu voir comment allait Marie-Antoinette... et elle a disparu ! Tu imagines le choc que cela va faire à la pauvre Mamie Ush !

Nicolas eut un sourire incrédule.

– Tu as voulu t'occuper de Marie-Antoinette ?

Sa mère eut un geste bougon :

– Eh bien, oui, quoi ! Elle l'aime tellement, sa bestiole !

Nicolas ouvrit son blouson, sortit la petite boîte et l'entrebâilla :

– Regarde !

Le rire de Mme Martin retentit dans toute la cage d'escalier, trou-

blant le silence habituel des lieux :
– Nicolas ! Garnement ! Tu ressembles de plus en plus à ta grand-mère !

Castor Poche

Des livres pour toutes les envies de lire,
envie de rire, de frissonner,
envie de partir loin
ou de se pelotonner dans un coin.

Des livres pour ceux qui dévorent.
Des livres pour ceux qui grignotent.
Des livres pour ceux qui croient ne pas aimer lire.
Des livres pour ouvrir l'appétit de lire et de grandir.

Castor Poche rassemble des textes du monde entier ; des récits qui parlent de vous mais aussi d'ailleurs, de pays lointains ou plus proches, de cultures différentes ; des romans, des récits, des témoignages, des documents écrits avec passion par des auteurs qui aiment la vie, qui défendent et respectent les différences. Des livres qui abordent les questions que vous vous posez.

Les auteurs, les illustrateurs, les traducteurs vous invitent à communiquer, à correspondre avec eux.

Castor Poche
Atelier du Père Castor
4, rue Casimir-Delavigne
75006 PARIS

Castor Poche, des livres pour toutes les envies de lire: pour ceux qui aiment les histoires d'hier et d'aujourd'hui, ici, mais aussi dans d'autres pays, voici une sélection de romans.

832 **Les insurgés de Sparte** **Senior**
par Christian de Montella
À Sparte, la loi impose de n'avoir que des enfants vigoureux. L'un des jumeaux de Parthénia est si frêle qu'elle le confie en secret à une esclave émancipée. Mais les deux frères vont se retrouver et s'affronter...

831 **Les disparus de Rocheblanche** **Junior**
par Florence Reynaud
Au IXème siècle, les habitants de l'Aquitaine vivent dans la terreur des vikings, qui saccagent les villages et enlèvent les enfants... Eglantine et son petit frère sont ainsi vendus comme esclaves.

830 **Chandra** **Senior**
par Mary Frances Hendry
À onze ans, Chandra est mariée, suivant la tradition indienne, à un jeune garçon qu'elle n'a jamais vu. Après leur rencontre, ce dernier meurt brutalement: Chandra est accusée de lui avoir porté malchance.

829 **Un chant sous la terre** **Junior**
par Florence Reynaud
Isabelle a douze ans et doit travailler à la mine pour aider sa famille. Mais elle a un don, sa voix fait frémir d'émotion quiconque l'entend chanter. Une terrible explosion bloque Isabelle dans la mine, son don pourra-t-il alors la sauver ?

828 **Léo Papillon** **Junior**
par Lukas Hartmann
Léo, huit ans, souffre de sa maladresse. Il aimerait être léger et beau comme un papillon. Son rêve consiste alors à s'enfermer dans un cocon de fils multicolores, en attendant la métamorphose...

827 La chance de ma vie **Senior**

par Richard Jennings

Quand on a douze ans, recueillir un lapin blessé semble bien naturel, voir banal. Pourtant, Orwell est plus qu'un animal... c'est une chance !

825 Temmi au Royaume de Glace **Junior**

par Stephen Elboz

Les soldats de la Reine du Froid ont enlevé Cush, un ourson volant qui vit dans la forêt près de chez Temmi. Temmi les suit au Château des Glaces, où toute chaleur est proscrite. Mais des insoumis organisent une rébellion.

824 Les maîtres du jeu **Senior**

par Roger Norman

Edward a douze ans. Il découvre chez son oncle un jeu de société qui renferme un mystérieux secret. Il se retrouve plongé dans un terrible engrenage, où le jeu et la réalité se rejoignent.

823 Akavak et deux récits esquimaux **Senior**

par James Houston

Akavak, Tikta'Liktak et Kungo l'archer blanc sont esquimaux. Dans l'univers rigoureux du grand Nord, ces héros doivent lutter pour survivre : découvrez leurs trois aventures au pays des icebergs...

821 Ali Baba, cheval détective **Junior**

par Gisela Kaütz

Pendant une représentation du cirque Tenner, quelqu'un a dépouillé les spectateurs de leurs portefeuilles. Sarah, la fille du directeur, découvre le butin caché dans le box de son cheval Ali Baba. L'enquête est ouverte...

820 **L'étalon des mers** **Senior**

par Alain Surget

Leif et son père Erick, bannis de leur village de vikings, embarquent sur un drakkar avec Sleipnir, leur magnifique étalon. Leur voyage les conduit d'abord au Groenland, où ils font la connaissance des Inuits.

819 **Mon cheval, ma liberté** **Junior**

par Métantropo

Aux Etats-Unis en 1861, la guerre de Sécession fait rage. Amidou, jeune esclave noir, s'occupe des chevaux d'une plantation. Lui seul peut approcher Stormy, le fougueux étalon, ce qui déclenche la jalousie du fils aîné.

818 **Une jument dans la guerre** **Senior**

par Daniel Vaxelaire

Pierre, fils de paysan dans la France napoléonienne, rêve de devenir un héros. Il part rejoindre les troupes de l'Empereur qui se battent en Italie. Le chemin n'est pas sans danger mais le destin met sur sa route une jument qu'il adopte et baptise... Fraternité.

817 **Pianissimo, Violette !** **Senior**

par Ella Balaert

Violette a dix ans et vient de déménager. Elle se fait bien à sa nouvelle vie. Le seul problème, c'est son professeur de piano : “Le Hibou” lui mène la vie dure et pourtant Violette s'applique !

816 **Pas de panique !** **Senior**

par David Hill

Rob adore les randonnées en haute montagne. Il est loin d'imaginer qu'il va falloir assurer pour six ! Car le guide de son groupe meurt brutalement... facile de dire “pas de panique” dans ces conditions.

815 Plongeon de haut vol **Senior**
par Michael Cadnum
Bonnie pratique le plongeon de compétition. Un jour, elle se cogne la tête contre le plongeoir et depuis n'arrive plus à plonger. En plus, son père est accusé d'escroquerie…

814 Et tag! **Senior**
par Freddy Woets
Vincent a une passion : peindre, dessiner et surtout taguer. Mais le jour où Alma se moque de son dernier tag en le traitant de ringard, Vincent est profondément vexé…

810 Une rivale pour Louisa **Junior**
par Adèle Geras
Louisa déteste la nouvelle du cours de danse: elle est trop douée! Un chorégraphe vient recruter de jeunes danseurs: et s'il ne choisissait que Bernice? Heureusement, la chance et l'amitié triompheront de leur rivalité.

809 Louisa près des étoiles **Junior**
par Adèle Geras
Louisa rêve d'assister à une représentation de Coppélia, mais les billets sont chers, et de toute façon, il ne reste aucune place ! Heureusement, la chance lui sourit : Louisa va même pouvoir rencontrer les danseurs étoiles!

808 Le secret de Louisa **Junior**
par Adèle Geras
Tony, le nouveau voisin de Louisa, est doué pour la danse, mais il est persuadé que seules les mauviettes font des entrechats. Pour cultiver ce talent caché, la petite « graine de ballerine » a une idée en tête…

807 Les premiers chaussons de Louisa **Junior**
par Adèle Geras
Louisa en rêvait depuis des mois : à huit ans, elle enfile enfin ses premiers chaussons de danse! En attendant de faire une grande carrière, il faut travailler sans relâche pour le gala de fin d'année. Louisa deviendra-t-elle une vraie « graine de ballerine » ?

805 Ménès premier pharaon d'Egypte **Senior**
par Alain Surget
Héritier du trône, Ménès doit braver mille dangers pour prouver qu'il est digne du titre de premier pharaon d'Egypte. Saura-t-il affronter ses ennemis, et devenir le Maître des Deux Terres ?

804 Jalouses! **Senior**
par Christian de Montella
Comment Simon aurait-il pu deviner que sa copine de bac à sable était devenue une véritable top-model ? Comment aurait-il pu éviter la crise de jalousie de Véronique, sa petite amie ?

803 Baisse pas les bras papa! **Junior**
par Christine Féret-Fleury
Depuis que Papa est au chômage, les fous rires, c'est terminé ! Au menu : soupe à la grimace. Il n'y a plus qu'une solution : l'aider à retrouver du travail.

802 De S@cha à M@cha **Senior**
par Rachel Hausfater-Douieb et Yaël Hassan
Sacha envoie des emails, comme des bouteilles à la mer, à des adresses imaginaires. Jusqu'au jour où Macha lui répond. Une véritable @mitié va naître de leurs échanges.

801 Rendez-vous dans l'impasse **Senior**

par Kochka

« Une histoire d'amour dont vous êtes le héros » : c'est le sujet de la prochaine rédaction de Marie. Partie à la recherche de l'inspiration, Marie débouche dans une impasse, où elle aperçoit un garçon qui s'enfuit en la voyant…

800 La main du diable **Senior**

par John Morressy

Béran veut être jongleur itinérant. Mais sur les routes du Moyen-Age, le diable rôde aussi : un jour, il lui propose de devenir le plus grand jongleur du monde… en échange de son âme!

799 La révolte des Camisards **Junior**

par Bertrand Solet

1685: révocation de l'Edit de Nantes. Près d'Alès, Vincent, jeune drapier et rebelle protestant, est aimé de la belle Isabeau. Trahi par un ami jaloux, il s'engage aux côtés des « Camisards » pour défendre sa religion.

798 Louison et monsieur Molière **Senior**

par Marie-Christine Helgerson

Louison a dix ans quand Molière la choisit pour jouer dans sa dernière pièce. Et pas n'importe où ! À la Comédie Française, devant la cour du Roi Soleil…

797 Les gants disparus **Senior**

par Marie-Claude Huc

Millau, capitale du gant, fin 1918. Irène, quatorze ans, jeune ouvrière douée de la ganterie Palliès, est fière de son travail... Mais un vol vient semer le trouble dans la petite ville…

795 Je veux MON chien! **Junior**

par Colby Rodowsky

Ellie n'est pas contente, ce n'est pas un chien comme ça qu'elle voulait ! Depuis le temps qu'elle demandait à ses parents un petit chiot... elle se retrouve avec une espèce de vieux chien sans charme qui appartenait à sa grand-tante !

794 L'arche des Noé **Junior**

par Wendy Orr

M. et Mme Noé possèdent le plus grand et le plus merveilleux des magasins d'animaux. Ils l'ont appelé « l'arche des Noé ». Leur bonheur serait complet... si seulement ils avaient des enfants ! Or, le jour de ses sept ans, Sophie vient visiter leur magasin... Entre la petite fille et les Noé c'est le début d'une grande amitié.

793 Le dernier loup **Senior**

par Roland Smith

Tawupu, le grand-père de Jack, est retourné sur la terre de ses ancêtres, dans le désert de l'Arizona. Jack part l'y retrouver. Là-bas, l'inquiétude monte : un loup rôde dans la région. Jack saura-t-il protéger l'animal alors qu'on organise sa mise à mort ?

792 Quatre poules maboules **Junior**

par Robert Landa

Pour ne pas servir de dîner au fermier, Hugoline, Bruneheau, Rosette et la petite Prunelle, les quatre poules de la basse-cour, décident de s'enfuir. Elles se retrouvent au beau milieu d'une fête foraine : un tour de grande roue, un petit verre à la buvette, et nos quatre poules tournent maboules !

781 La princesse qui détestait les princes charmants **Junior**

par Paul Thiès

Il était une fois une princesse qui s'appelait Clémentine, et qui ne voulait pas épouser de prince charmant. Elle détestait carrément les princes charmants ! Elle n'avait qu'un rêve, transformer tous les garçons en grenouilles, sauf son ami Cabriole...

780 L'araignée magique **Junior**

par Nette Hilton

Jenny adore aller passer des vacances chez Violette-Anne, son arrière-grand-mère. Cette année, Jenny y découvre une invitée surprise : Pam, l'araignée à sept pattes. Cette araignée n'est pas ordinaire, et sa présence rappelle bien des souvenirs à Violette-Anne...

779 La fée Zoé **Junior**

par Linda Leopold Strauss

Qui a dit que les fées avaient des ailes et une baguette magique ? Lorsque Zoé entre dans la vie de Caroline, elle a l'air d'une petite fille tout à fait ordinaire... et pourtant ! Tout le monde ne peut pas voler et faire parler les chats !

778 L'île du vampire **Junior**

par Willis Hall

Rejeté à cause de ses ancêtres Dracula, les seuls amis du comte Alucard sont les loups de la forêt. Quand l'un d'eux est capturé, le comte improvise un sauvetage... qui se transforme en naufrage sur une île déserte !

767 **Le quai des secrets** — **Senior**

par Brigitte Coppin

Bretagne, 1529. Un navire espagnol fait escale à Nantes et y laisse une femme, Leonora, et son fils, Jason. Leonora rencontre Jean, médecin, et ensemble ils ont une fille, Catherine. Un jour, Jason dérobe un miroir pour l'offrir à une jeune villageoise. Ce vol va entraîner la révélation de bien des secrets…

766 **Le diable dans l'île** — **Senior**

par Christian de Montella

1604. Un navire espagnol accoste une île des Terres australes. Fils du commandant, Diego comprend la barbarie de cette conquête, et se joint au combat, mais du côté des indigènes. Commence alors une vie nouvelle, heureuse. Mais bientôt des incidents troublent le quotidien de l'île : les habitant sont persuadés que l'esprit du mal est parmi eux. Qui est donc le diable qui hante l'île ?

765 **Sans toit en Bosnie** — **Senior**

par Els de Groen

Dans les ruines d'un village bosniaque, la guerre rôde. Seule Antonia y habite. Son but : survivre, afin d'aider trois adolescents, réfugiés dans la montagne proche. Un jour elle recueille Aida, rescapée d'un convoi de prisonniers. La vie est-elle encore possible pour tous ces adolescents ?

764 **Le conquérant** — **Senior**

par Marguerite de Angeli

XVIIIe siècle : entre guerres et maladies, le malheur frappe de nombreuses familles en Angleterre. Robin n'a que dix ans lorsqu'il perd l'usage de ses jambes. Il parviendra à vivre avec son handicap,mais un autre défi l'attend : sauver le château.

759 Monsieur Labulle super magicien **Junior**
par Massimo Indrio
En pleine nuit, M. Labulle est réveillé par un bruit. Il découvre dans la cuisine une petite fille : Stella arrive de l'espace, elle est magicienne. Elle lui demande de l'accompagner dans une mission… explosive !

758 Monsieur Labulle super cosmonaute **Junior**
par Massimo Indrio
Lulu Tirebouchon est le meilleur ami de M. Labulle. Cet inventeur de génie vient de créer une fusée. M. Labulle accepte de tester l'engin : dans quelle drôle d'aventure s'est-il encore embarqué ?

757 Monsieur Labulle super détective **Junior**
par Massimo Indrio
M. Labulle adore lire les aventures de Super Super. Quand il apprend l'enlèvement de l'oncle Rémi, il décide de prouver à son tour son courage. Attention ! Monsieur Labulle mène l'enquête…

756 Monsieur Labulle super pilote **Junior**
par Massimo Indrio
M. Labulle, dans la vie il faut travailler ! Oui, mais quel métier exercer ? Pâtissier ou peintre en bâtiment ? Pilote d'essai semble une meilleure idée… quelle course !

749 Khan, cheval des steppes **Senior**
par Federica de Cesco
Anga, jeune Mongole, sauve d'une meute de loups un magnifique poulain blanc. Anga et Khan deviennent inséparables. Mais le cheval est convoité par le chef de la tribu, puis réclamé par un prince : dans la Mongolie du XIIe siècle, Anga, fille de chasseur, pourra-t-elle garder son nouvel ami près d'elle ?

748 **Beau-Sire, cheval royal** **Senior**

par Jacqueline Mirande

1214. Jean, jeune noble de quinze ans, est privé de ses richesses par son cousin. Il veut demander justice au souverain, Jean sans Terre, et s'enfuit avec Beau-Sire, son cheval. Mais ce magnifique étalon est très convoité : la route est semée d'obstacles et Jean, tombé aux mains d'un brigand, n'aura la liberté... qu'en échange de sa monture.

747 **Un cheval pour totem** **Senior**

par Alain Surget

Nuun a dix ans, l'âge auquel on devient adulte dans sa tribu. Il doit pour cela subir un rite d'initiation et choisir un animal-totem : ce sera le cheval. Quelques jours plus tard, il trouve un poulain, et l'adopte. Nuun le baptise Charbon, et ils deviennent inséparables. Mais le sorcier de la tribu est jaloux, et se fait menaçant...

746 **Le cavalier du Nil** **Senior**

par Alain Surget

Bitiou, fils de paysans dans l'Égypte des pharaons, est fasciné par les chevaux. Un jour, il se joint aux troupes de Ramsès II, qui regagnent Memphis. Arrivé au palais, Bitiou se faufile jusqu'aux écuries royales. C'est alors qu'il fait la connaissance du plus beau cheval de Pharaon : ensemble, ils vont vivre des aventures extraordinaires.

745 **Punch et Judy** **Senior**

par Avi

Les États-Unis, à la fin du XIXe siècle. Punch a huit ans à peine lorsqu'il est recueilli par la troupe ambulante des Joe MacSneed. Il apprend dès lors à vivre comme un vrai saltimbanque, aux côtés de Judy, la fille de Joe, dont il est amoureux. Mais bientôt, les difficultés s'accumulent...

744 Les naufragés du ciel **Senior**

par Daniel Vaxelaire

Octobre 1929, aéroport du Bourget: l'avion Farman 192 AJJB s'envole. À son bord, trois héros avec ce rêve fou, ce pari insensé: rallier la Réunion par les airs. Arriveront-ils à bon port? Farman résistera-t-il aux tempêtes du continent africain? La mer épargnera-t-elle les aventuriers?

743 Viola Violon **Senior**

par Rachel Hausfater-Douieb

Viola a onze ans et déteste son prénom. Jusqu'au jour où Benny la surnomme « Viola Violon » : alors, pour que son prénom soit aussi beau que la musique d'un violon, Viola décide d'apprendre à jouer de cet instrument. Au fil des années, Viola va trouver son identité et s'accepter telle qu'elle est, grâce à la musique.

742 Un héros pas comme les autres **Junior**

par Anne-Marie Desplat-Duc

Mathias, un jeune paysan, vit au XVe siècle. Amoureux de la châtelaine Aelis, il n'ose pas lui avouer ses sentiments. Il finit par demander de l'aide à un personnage tout à fait inattendu… l'auteur!

737 L'été catastrophe ! **Senior**

par Margot Bosonnet

Depuis que Marcus a rejoint la bande du Ventre Rouge, les grandes vacances ne sont plus qu'une gigantesque bataille ! Grimper aux arbres à mains nues, voler des groseilles, passer la nuit dans une ruine abandonnée (et hantée !)… ces cinq lascars ont plus d'une idée en tête pour faire enrager voisins, parents… et même policiers!

736 **Tante Morbélia et les crânes hurleurs** **Senior**

par Joan Carris

Horreur ! Tante Morbélia vient s'installer chez Todd, et avec elle toutes ses légendes de crânes hurleurs et d'affreux fantômes ! En plus, c'est une ancienne maîtresse, qui veut lui faire réciter ses leçons chaque jour. Dire que pour Todd, retenir les douze mois de l'année est déjà tellement compliqué... Et puis surtout, surtout, il déteste les histoires qui font peur !

735 **Ah ! Si j'étais grand...** **Junior**

par Siobhan Parkinson

Ça n'est vraiment pas drôle d'avoir mille cent ans, d'être lutin et petit pour la vie ! Lorenz en a assez, assez, assez ! Mais voilà qu'il fait la connaissance d'Iris, qui elle, voudrait bien être moins ronde et rétrécir un peu. Que vont inventer les nouveaux amis pour changer de vie ?

734 **Un prince en baskets** **Senior**

par Liliane Korb et Laurence Lefèvre

Quelle surprise ! Solveig et Nils, descendus fouiller la cave pour s'occuper, y découvrent une jolie jeune fille assoupie... depuis deux cents ans ! N'y aurait-il pas un petit peu de sorcellerie là-dedans ? Et que faire d'une aristocrate qui a échappé à la Révolution, quand on a quatorze ans et qu'on porte des baskets ?

732 **L.O.L.A** **Senior**

par Claire Mazard

Qui adresse du courrier à Lola sans le signer? Pour la jeune fille, ces lettres anonymes sont d'abord agaçantes, puis touchantes, et surtout intriguantes. Accompagnée de son petit frère Jérôme, Lola va mener une enquête... alors que la réponse est tout près d'eux, sous leurs yeux.

731 Ninon-Silence **Senior**

par Marie-Claude Bérot

Une nuit, Ninon est réveillée par des sanglots dans la chambre de ses parents. Elle entend cette phrase terrible : « Ninon n'est pas ta fille ! ». L'enfant a l'impression que le monde s'écroule autour d'elle. Le lendemain, Ninon a perdu la parole.

730 Le Maître des Deux Terres **Senior**

par Alain Surget

Antaref, roi de Haute-Égypte, a été assassiné. Son fils doit lui succéder. Mais le temps presse, car déjà la Basse-Égypte a déclaré la guerre. Ménès saura-t-il défendre son pays, venger son père et libérer son amie Thouyi, avant de devenir le premier pharaon ?

721 Prends garde aux dragons ! **Junior**

par Norbert Landa

Le roi et la reine partis en Italie, le petit prince Léo est seul au château. Il tombe sur un œuf de dragon. Que faire ? Le conserver ou le cuisiner ? Mais est-ce que c'est bon, une omelette de dragon ?

720 À vos marques ! **Senior**

par Michel Amelin

C'est reparti ! Dès le début de l'automne, la mère de Gontran est obsédée par le port de l'écharpe obligatoire ! Quelle horreur, surtout quand la dite écharpe a déjà été usée par des générations, depuis le frère aîné de l'arrière-grand-père de Gontran… Il aimerait tellement frimer avec des vêtements de marque, comme tant de ses copains !

Cet
ouvrage,
le trois centième
dix-huitième
de la collection
CASTOR POCHE,
a été achevé d'imprimer
sur les presses de l'imprimerie
Maury Eurolivres
Manchecourt - France
en septembre 2002

Dépôt légal : juin 1999.
N° d'édition : 4615. Imprimé en France.
ISBN : 2-08-164615-3
ISSN : 0763-4544
Loi n° 49-956 du 16 juillet 1949
sur les publications destinées à la jeunesse